Le livre des jeux-questionnaires

www.quebecloisirs.com

UNE ÉDITION DU CLUB QUÉBEC LOISIRS INC.
© Avec l'autorisation des Éditions Quebecor
© 2002, Les Éditions Quebecor
Dépôt légal — Bibliothèque nationale du Québec, 2002
ISBN 2-89430-569-9
(publié précédemment sous ISBN 2-7640-0574-1)

Imprimé au Canada

THOMAS DUPUIS

Le livre des jeux-questionnaires

QUÉBEC
LOISIRS
Complice de vos lectures

SOMMAIRE

QUELQUES MOTS

Voici un livre de jeux-questionnaires qui, nous l'espérons, vous fera passer des heures passionnantes. Un jeu, certes, mais aussi une façon de tester vos connaissances (en plus de les améliorer !) et de vous mesurer à vos proches !

Voici 625 questions, certaines plus faciles que d'autres, qui abordent différents thèmes, se rapportant parfois à des connaissances générales, mais aussi à une simple question de bon sens.

JEUX-QUESTIONNAIRES CHRONOLOGIQUES

Des questions qui se rapportent directement
aux événements survenus dans les années 90.

ANNÉES 90 : CULTURE GÉNÉRALE

JEU-QUESTIONNAIRE 1 : **1990**

1. Quelle expérience technologique les laboratoires Bell réussissent-ils ?
2. Quel nom donne-t-on à l'achat de biens sur Internet ?
3. Quel riche pays producteur de pétrole l'Irak envahit-il ?
4. Quel pays européen est réunifié après plus de quarante ans de séparation ?
5. Environ combien de véhicules circulent-ils sur les routes du monde cette année-là ?

JEU-QUESTIONNAIRE 2 : **1991**

1. Quel ancien premier ministre indien est assassiné par un terroriste ?
2. Val Kilmer interprète le rôle d'un chanteur, dans le film d'Oliver Stone intitulé *The Doors*. De quel chanteur s'agit-il ?
3. Martha Graham, qui décède à l'âge de 97 ans, s'était fait connaître dans une discipline. Laquelle ?
4. Qui devient le premier président élu de Russie ?
5. Quel jockey légendaire américain est paralysé à la suite d'un accident d'auto ?

JEU-QUESTIONNAIRE 3 : **1992**

1. Quel nouvel appareil multimédia la compagnie Philips offre-t-elle pour la première fois au grand public ?
2. Où se tiennent les Jeux olympiques d'hiver de cette année-là ?
3. Qui deviennent les nouveaux dirigeants de l'Afghanistan, après avoir bouté dehors les Soviétiques ?
4. Dans quelle ville sont déclenchées des émeutes, provoquées par l'affaire Rodney King ?
5. Dans quelle ville le Sommet de la terre se tient-il ?

JEU-QUESTIONNAIRE 4 : **1993**

1. L'acteur qui a incarné des années durant le personnage Perry Mason au petit écran s'éteint en septembre. Quel est son nom ?
2. Dans quel film de cette année-là Bill Murray se réveille-t-il chaque matin pour revivre chaque fois la même journée ?
3. Quel athlète canadien est banni à vie en mars pour cause de doping ?
4. Quelle joueuse de tennis est poignardée sur le court en avril ?
5. Quelles sont les deux personnalités qui partagent le prix Nobel de la paix de cette année-là ?

JEU-QUESTIONNAIRE 5 : **1994**

1. Quel pays prend pour la première fois la présidence de l'Union européenne ?
2. Quel couple remporte le Championnat européen de patinage sur glace ?
3. Un pétrolier laisse échapper plus de 100 millions de litres de pétrole au large des côtes de quelles îles ?
4. Quel est le nom du président indonésien chassé du pouvoir ?
5. Quel outil de communication est officiellement banni en Iran ?

JEU-QUESTIONNAIRE 6 : **1995**

1. Quelle ville japonaise subit un tremblement de terre dévastateur en janvier ?
2. En février, la navette spatiale Discovery a un rendez-vous avec une station spatiale. Laquelle ?
3. Dans quelle ville la secte Aoum perpètre-t-elle un attentat au gaz dans le métro ?
4. Quelle personnalité américaine est incriminée dans un meurtre à cause d'une paire de gants ?
5. Quel premier ministre québécois déclenche un référendum ayant pour objectif la sécession du Québec du Canada ?

JEU-QUESTIONNAIRE 7 : **1996**

1. Quel est le nom du créateur de la bande dessinée *Superman* qui décède cette année-là ?
2. Dans quel pays européen le service militaire obligatoire est-il aboli ?
3. Quel mammifère marin est classé espèce en voie d'extinction ?
4. Quel restaurant de restauration rapide bannit le bœuf de ses hamburgers ?
5. Quel aliment est banni de la nourriture des animaux en Grande-Bretagne ?

JEU-QUESTIONNAIRE 8 : **1997**

1. Quel territoire est rétrocédé à la Chine par les Anglais ?
2. Qui, en septembre, visite la prison de Robben Island où il a été incarcéré pendant vingt ans ?
3. Quel est le nom du compagnon de Lady Diana qui l'accompagne alors qu'ils sont victimes d'un accident d'automobile dans lequel ils perdent la vie ?
4. Qui est arrêté au Cambodge en juillet par ses anciens compagnons d'armes pour être jugé ?
5. Quel phénomène climatique affecte la température tout autour du monde ?

JEU-QUESTIONNAIRE 9 : **1998**

1. Quel pays asiatique fait une demande de prêt de 20 milliards de dollars au Fond monétaire international ?
2. Quelle maladie apparaît pour la première fois en Angleterre ?
3. Quelle île le pape Jean-Paul II visite-t-il pour la première fois ?
4. Quelles deux villes sont déclarées les plus peuplées du monde avec plus de 10 millions d'habitants chacune ?
5. Qui meurt dans un accident d'avion en compagnie de sa femme Carolyn et de sa belle-sœur, Lauren Bessette ?

JEU-QUESTIONNAIRE 10 : 1999

1. Quel est le nom de la star de base-ball et ex-mari de Marilyn Monroe qui décède cette année-là ?

2. Quel nom donne-t-on au problème informatique que l'on attend pour le 31 décembre ?

3. Quel couple se marie à la chapelle St. George, en Angleterre, le 19 juin ?

4. Qui est l'auteur du livre *L'art du bonheur (The Art of Happiness)* qui devient un best-seller mondial ?

5. Quel est le nom du président yougoslave impliqué dans un affrontement contre les forces de l'OTAN, avant d'être traduit devant le Tribunal international de La Haye ?

6. Quel est le nom de l'auteur du roman *Le Parrain (The Godfather)* qui meurt en juillet ?

7. Dans quelle ville le huitième Sommet de la francophonie se tient-il ?

8. Quelle date a lieu la dernière éclipse solaire totale du millénaire ?

9. Quel acteur tient le rôle principal de la série qui porte justement pour titre *Cosmos 1999 (Space : 1999)* ?

10. Dans quelle discipline sportive le tchèque Tomas Dvorak établit-il un nouveau record mondial ?

11. Quel célèbre club sportif français célèbre son centenaire ?

12. Quel est le réalisateur du film *L'odyssée de l'espace 2001 (2001, Space Odyssey)* qui meurt cette année-là ?

13. Au large de quelles côtes un pétrolier fait-il naufrage, déclenchant une importante marée noire ?

14. À combien, au 31 décembre, la population de la Terre est-elle estimée ?

15. Quelle guerre éclatait il y a exactement 100 ans ?

JEUX-QUESTIONNAIRES THÉMATIQUES

JEU-QUESTIONNAIRE 11 :

CINÉMA

1. Quel était le très connu acteur français vedette du film *La cage aux folles* ?
2. Quel fut le premier acteur connu à reconnaître être atteint du sida ?
3. Qui a été le réalisateur du film *Le crime était presque parfait (Dial M For Murder)* en 1954, et de bien d'autres par la suite ?
4. Qui incarnait Zorba le Grec au cinéma ?
5. Qui tenait le rôle de James Bond dans le film *On ne vit que deux fois (You Only Live Twice)* ?
6. Quelle actrice célèbre a intitulé son autobiographie *Ces yeux-là* ?
7. Quel a été pour Charlton Heston son premier rôle biblique ?
8. Que signifient les initiales « E.T. », le héros du film de Steven Spielberg ?
9. Comment se nomme le cannibale dans *Le silence des agneaux (The Silence of the Lambs)* ?
10. Quels sont les deux prénoms qui ont servi pour le prénom de Meryl Streep ?
11. Sous quel nom connaît-on le cinéaste américain Allen Stewart Königsberg ?
12. À quel âge est morte Marilyn Monroe ?
13. Dans quel film Grace Kelly est-elle l'épouse de Gary Cooper ?
14. Quel acteur signa le premier contrat d'un million de dollars à Hollywood ?
15. Quelle est l'identité secrète de Don Diego de la Vega ?

JEU-QUESTIONNAIRE 12 :
LITTÉRATURE

1. Quel était le plus célèbre personnage créé par Maurice Leblanc ?

2. Qui est l'auteur du roman *À l'est d'Éden (East of Eden)* ?

3. Quel roman américain a été vendu à plus de 11 millions d'exemplaires ?

4. Quel est l'auteur du célèbre *Maria Chapdelaine* ?

5. Quel roman se déroulant dans le sud des États-Unis, dont on a tiré un film, portait comme premier titre *Tote in Weary Load et Ba Ba Black Sheep* avant d'être rebaptisé du nom sous lequel il s'est fait connaître ?

6. Quelle grande femme de lettres française, née en Indochine, est l'auteure de *L'amante anglaise et de Le vice-consul* ?

7. Quel auteur a dû se faire enlever plus de 200 fragments d'acier dans une jambe après une blessure durant la Première Guerre mondiale ?

8. Quel célèbre personnage d'Agatha Christie, outre Hercule Poirot, a été porté à l'écran plus d'une fois ?

9. Dans quel roman de Stephen King l'histoire se déroule-t-elle dans une école secondaire ?

10. Quelle a été la première femme à être élue à l'Académie française en 1980 ?

11. Quel poète et écrivain fut aussi compositeur et interprète de chansons, en plus d'être musicien de jazz avant sa mort en 1959 ?

12. Quel roman de Steinbeck raconte la migration d'une famille vers la Californie ?

13. Quel est le titre du livre d'Alexandre Dumas fils qui donna naissance au personnage de Marguerite Gauthier ?

14. Quel est le plus long rôle de l'œuvre de Shakespeare ?

15. Quel poète français fut condamné à deux ans de prison pour avoir tiré deux coups de revolver sur son ami Rimbaud ?

JEU-QUESTIONNAIRE 13 :

MUSIQUE

1. Quel auteur-compositeur et chanteur français a reçu, en 1967, le grand prix de poésie de l'Académie française?

2. Lequel des Rolling Stones est diplômé en sciences économiques ?

3. Quelle chanteuse a fait ses débuts avec les Supremes?

4. Quelle est la nationalité du compositeur de la chanson *La valse à mille temps* ?

5. Quelle chanteuse grecque portant des lunettes est née en Crète ?

6. Quelle chanson du disque *Thriller* a remporté un Grammy à titre de chanson de l'année ?

7. Qui a été le mari musicien de la comédienne Barbara Bach?

8. Qui est l'auteur de la grande chanson *Mon pays* ?

9. Quelle comédie musicale de Broadway a mis en vedette un félin noir du nom de M.Mistoffolees ?

10. Par quelle symphonie commence le festival de Bayreuth ?

11. Quelle chanteuse interpréta la chanson *La colombe* devant le pape Jean-Paul II à Montréal ?

12. Qui a composé *An American in Paris et Rhapsody in Blue* ?

13. Quel chanteur-compositeur aujourd'hui décédé était Lucien Ginsburg ?

14. En quelle année est né Johnny Hallyday ?

15. Quelle est la chanson des Beatles la plus diffusée par les radios du monde entier ?

JEU-QUESTIONNAIRE 14 :

ALIMENTS

1. Quel fromage est réputé le plus salé : le brie ou le camembert ?

2. Qu'est-ce qui compose plus de 96 % d'un concombre ?

3. Quel légume fournit le plus grand poids pour la plus petite surface ?

4. Quel est le seul aliment que l'on peut « fatiguer » ?

5. Quel légume est devenu un produit instantané avec l'invention du docteur canadien Edward Asselbergs en 1941 ?

6. Qu'est-ce qui est le plus lourd : le lait ou la crème ?

7. Quel est l'animal dont le lait sert à fabriquer du fromage roquefort ?

8. Quel est le condiment très apprécié des Français, et qui est un montage moléculaire de l'huile et de l'eau ?

9. Quel gâteau célèbre porte le nom du patron des boulangers ?

10. Quel est le produit de base dans la choucroute ?

11. Quelle farine est l'ingrédient de base de la polenta ?

12. Quel est le fruit dont la France est la plus gourmande ?

13. Quelle sauce recouvre les œufs à la bénédictine ?

14. Quel potage froid fut inventé à l'hôtel Ritz Carlton de New York en 1910 ?

15. Avec le lait de quel animal le fromage cheddar est-il fabriqué ?

JEU-QUESTIONNAIRE 15 :

BOISSONS

1. Quel est le cocktail inventé par la mère de Winston Churchill ?

2. Quel alcool faut-il ajouter au lait de noix de coco et au jus d'ananas pour faire un « Pina Colada » ?

3. Qu'est-ce qu'on ajoute au vin blanc pour boire un « Spritzer » ?

4. Quel est le vin blanc d'appellation d'origine contrôlée produit dans le pays nantais ?

5. Qui a inventé la méthode champenoise ?

6. Combien de temps laisse-t-on vieillir le « Johnnie Walker Black Label » (étiquette noire) ?

7. Quelle sorte de grains met-on dans un « Sambucca » ?

8. Quel digestif connu rend la boisson « Grasshopper » verte ?

9. De quelle couleur sont les raisins servant à la fabrication du vin blanc « Blanc de Noirs » ?

10. Quelle boisson doit-on au bon docteur Pemberton, pharmacien à Atlanta ?

11. Quelles baies donnent au gin son goût si particulier ?

12. À quel mois, chaque année, nous arrive le Beaujolais nouveau ?

13. Quel cocktail le barman Jerry Thomas a-t-il inventé en 1880 à San Francisco ?

14. Quelle liqueur relève un « Rhett Butler » ou une « Scarlett O'Hara » ?

15. Comment s'appelle le vin non fermenté du Dr Welch ?

JEU-QUESTIONNAIRE 16 :

CORPS

1. Quelle partie de notre corps consomme 40 % de l'oxygène dans le sang ?

2. Qui, des hommes ou des femmes, a plus de sang ?

3. Quelle maladie respiratoire fut la principale cause de décès à la fin du XIXᵉ siècle ?

4. Combien avons-nous d'os dans notre corps ?

5. Combien la mâchoire humaine contient-elle de dents de sagesse ?

6. Quel organe produit de l'insuline ?

7. Qu'est-ce que l'être humain consomme en grande quantité, soit 28 chopines à la minute ?

8. Comment appelle-t-on la partie colorée de l'œil ?

9. Quelle est la partie du corps à laquelle renvoie l'adjectif « unguéal » ?

10. Est-ce que l'adrénaline resserre ou dilate les vaisseaux sanguins ?

11. Combien de canines y a-t-il dans une dentition humaine normale ?

12. Quelle partie du corps possède des arcs, des boucles, des îlots et des points ?

13. Quel est le gène dominant: celui des yeux bruns ou celui des yeux bleus ?

14. Combien y a-t-il approximativement de papilles gustatives sur la langue ?

15. Quel événement possède le plus fort facteur de stress ?

JEU-QUESTIONNAIRE 17 :

INSOLITE

1. Combien d'ouvriers moururent lors de la construction de l'Empire State Building ?

2. Quel pays victime d'une sécheresse, suivie d'une famine, fit plus de 5 millions de victimes en un an ?

3. Quel est l'animal reconnu pour être le plus intelligent ?

4. Quel est le pays le plus souvent visité par la Vierge Marie ?

5. Quelle est la marque française la plus connue dans le monde ?

6. Quelle chanson des années 1960 est restée le plus longtemps numéro 1 au *Top 10* américain ?

7. Quelle est la durée de temps nécessaire pour la destruction naturelle d'un emballage en plastique ?

8. Quel auteur commença son roman *Don Quichotte* en prison ?

9. Combien d'années s'écoulèrent entre l'invention de la télévision et sa commercialisation ?

10. Quel mot les enfants entendent-ils le plus souvent dans la bouche de leurs parents ?

11. Quel roi des Huns est mort en faisant l'amour ?

12. Si l'on renverse la salière, où faut-il jeter une pincée de sel pour conjurer le sort ?

13. Quelle partie du corps de Galilée est toujours conservée et exposée au Musée d'histoire de la science de Florence ?

14. Quelle est la tâche ménagère la plus détestée ?

15. Quel est le nombre d'hermines nécessaire à la confection d'un manteau ?

GÉOGRAPHIE ET TOURISME

JEU-QUESTIONNAIRE 18 :

CAPITALES

1. Quelle est la capitale de la Syrie ?
2. Quelle est la capitale de la Bulgarie ?
3. Quelle est la capitale de l'Écosse ?
4. Quelle est la capitale de l'Indonésie ?
5. Quelle est la capitale de la Corée du Sud ?
6. Quelle est la capitale de l'Autriche ?
7. Quelle est la capitale du Brésil ?
8. Quelle est la capitale du Kenya ?
9. Quelle est la capitale de la Nouvelle-Zélande ?
10. Quelle est la capitale de la Norvège ?
11. Quelle est la capitale des Philippines ?
12. Quelle est la capitale du Sénégal ?
13. Quelle est la capitale du Venezuela ?
14. Quelle est la capitale du Canada ?
15. Quelle est la capitale de l'Islande ?

JEU-QUESTIONNAIRE 19 :

VILLES

1. Quelle est la ville la plus peuplée du continent américain ?
2. Quelle est la ville principale de l'archipel d'Hawaï ?
3. Quelle ville européenne peut affirmer avoir le plus grand nombre de fontaines au monde ?
4. Quelle île est au centre de la ville de New York ?
5. Dans quelle ville se trouve le « Pain de sucre » ?
6. Quelle ville est formée de 180 îlots, que séparent 177 canaux étroits ?
7. Le nom poétique et complet de quelle capitale compte pas moins de 167 lettres ?
8. À quelle ville doit-on le nom d'une sauce faite à base de piments ?
9. Dans quelle ville se trouve l'aéroport qu'on dit le plus dangereux au monde ?
10. Dans quelle ville calviniste de Hollande est-il interdit de prendre des photos ?
11. Quelle est la plus importante ville francophone à l'extérieur de la France ?
12. À partir de quelle ville l'heure du temps universel est-elle fixée ?
13. Quelle ville se trouve à proximité du mont McKinley ?
14. Quelle ville fondée en 1535 par Pizarro, qui lui donne le nom de Ciudad de los Reyes (la « ville des Rois »), devent la capitale d'un pays d'Amérique du Sud ?
15. Quelle ville italienne est chantée dans une chanson populaire de Hervé Villard ?

HISTOIRE

JEU-QUESTIONNAIRE 20 :

MONDE

1. Comment surnommait-on les pilotes des avions suicides japonais à la fin de la Seconde Guerre mondiale ?

2. Quel est le pays dont Chaïm Weizmann a été le premier président ?

3. Qui a été incinéré sur les rives du Gange en janvier 1948 ?

4. Quelle guerre a sévi en Extrême-Orient entre 1950 et 1953 ?

5. Quel est le nom de l'Algérien qui devient le premier président à l'occasion de l'accès à l'indépendance en 1963 ?

6. Un traité de non-agression est signé entre l'Union soviétique et quel autre pays européen en janvier 1932, avant d'être prolongé jusqu'en 1945 par un protocole signé deux ans plus tard ?

7. Par quel navigateur est exploré le Brésil entre 1501 et 1502 au nom du roi du Portugal, Dom Manuel ?

8. Quel modeste paysan indien participa à la révolution mexicaine de 1910 contre Porfirio Díaz et réussit même à prendre Mexico, avant d'être assassiné en 1919 ?

9. En quelle année l'Empire aztèque s'est-il définitivement écroulé ?

10. Comment appela-t-on le conflit survenu en 1962 entre Cuba et les États-Unis ?

11. À quel titre Ernesto Guevara, le « Che », a accepté d'accompagner Fidel Castro lors du renversement du président Batista ?

12. À quel dirigeant communiste chinois a-t-on attribué le surnom « le petit Timonier » ?

13. Lorsque le shah d'Iran est contraint à l'exil en 1979, quel homme prendra le pouvoir ?

14. Quelle révolutionnaire allemande est obligée de quitter la Pologne russe à l'âge de dix-huit ans ?

15. En 1915 et en 1916, durant la Première Guerre mondiale, environ 1 200 000 personnes sont tuées sur place ou mortes au cours de leur déportation. Dans quel pays cela s'est-il passé ?

JEU-QUESTIONNAIRE 21 :
AMÉRIQUE DU NORD

1. Qui fut le premier président américain à paraître en direct à une conférence de presse à la télévision ?

2. Quel est le nom de famille des frères Jacques et Paul qui étaient membres du Front de libération du Québec, à l'origine de la Crise d'octobre ?

3. Quel Métis canadien, né à Saint-Boniface, fut pendu en 1885, après avoir dirigé la résistance des Métis ?

4. Quel est le premier premier ministre canadien né au xxᵉ siècle ?

5. Qui fut le plus jeune premier ministre du Canada ?

6. Quelle famille a été la première à envoyer trois de ses fils au Sénat américain ?

7. Quel est le président des États-Unis dont le père se nommait Augustin et la mère Marie ?

8. De quel côté a combattu le général Joseph Hooker durant la guerre de Sécession américaine ?

9. Quel président des États-Unis a été le premier à se rendre en visite officielle à Moscou ?

10. Qui annonça le 29 février 1984 qu'il quittait la politique canadienne ?

11. Quels sont les noms de deux anarchistes italiens condamnés à mort pour un double meurtre, en 1921, aux États-Unis ?

12. À l'occasion de quelle guerre a-t-on a remis la première médaille d'honneur à un soldat américain ?

13. Quel homme politique américain est à l'origine du plan d'aide économique à l'Europe en 1947 ?

14. Quel président américain fut assassiné par un Sudiste, cinq jours avant la victoire des Nordistes ?

15. Quel pasteur baptiste très charismatique prend la tête du mouvement de protestation contre la ségrégation en 1963 ?

JEU-QUESTIONNAIRE 22 :

INVENTIONS

1. Quel appareil ménager a été le premier à être mis sur le marché par la compagnie Hurley Machine en 1907 ?

2. Quel physicien a inventé la pile électrique ?

3. Quel organe artificiel le Canadien Gordon Murray a-t-il mis au point ?

4. Qui a fait breveter le premier phonographe ?

5. Quel dispositif à café James Nason a-t-il mis au point en 1865 ?

6. Quel instrument servant à amplifier les bruits émis par le corps servit pour la première fois le 10 juin 1924 ?

7. Quelle poupée a contribué au phénomène de l'anorexie nerveuse d'après plusieurs psychologues ?

8. Quelle machine inventée par le docteur Alphonse Rockwell a été utilisée pour la première fois le 6 août 1890 ?

9. Qu'est-ce que J. B. Dunlop a été le premier à mettre dans les pneus ?

10. Quelle fut la compagnie à commercialiser le premier jeu électronique mettant en vedette Mario et un grand singe ?

11. Quel dispositif fonctionnant à la vapeur a fait sa première ascension au grand magasin Haughwout de New York en 1857 ?

12. Quelle compagnie a fabriqué le premier rasoir électrique ?

13. Quels frères français ont présenté pour la première fois leur invention à l'Exposition universelle de 1900 ?

14. En quelle année la télévision a-t-elle été inventée ?

15. Quelle marque de piano fut lancée en 1853 par Henry Englehard Steinwig et ses fils ?

JEU-QUESTIONNAIRE 23 :
ANIMAUX

1. Quel mammifère a la plus longue période de gestation ?
2. Comment appelle-t-on le bébé du phoque ?
3. Est-ce que la tortue des Galápagos a des dents ?
4. Les ratons laveurs sont-ils des animaux diurnes ou nocturnes ?
5. Quelle fraction de sa vie un castor passe-t-il à nager ?
6. Quel chien a le poil le plus court ?
7. Que mange un animal piscivore ?
8. Quel est le plus grand rongeur nord-américain ?
9. Quelle est la race de chien la plus rapide ?
10. Quel est le membre de la famille des cerfs qui est le plus grand en Amérique du Nord ?
11. Quel État américain a émis les premières licences pour chiens en 1894 ?
12. Quel est le plus long mammifère du monde ?
13. Combien de temps un poulet peut-il vivre ?
14. Les chameaux naissent-ils avec des bosses ?
15. Quel animal fournit le précieux cachemire ?

JEU-QUESTIONNAIRE 24 :

SPORTS D'HIVER

1. Quel sport est d'abord un sport d'hiver, mais qui peut néanmoins être pratiqué sous l'eau ou sur du gazon ?

2. Quel sport fut lancé par les Anglo-Saxons, en Suisse, à la fin du XIXᵉ siècle ?

3. Quelle fut la première ville à accueillir le club de curling du Canada en 1807 ?

4. Quel mot norvégien signifie « virage en S » ?

5. Dans quelle ville se déroula en 1896 le premier championnat du monde de patinage artistique réservé uniquement aux hommes ?

6. Quel nom porte le légendaire auditorium où se jouent les parties des Rangers de New York ?

7. Dans quel pays est né le hockey sur glace ?

8. Des archéologues ont découvert en Suède un ski et des fresques représentant des hommes chaussant des skis sommaires. De quelle année datent ces fresques ?

9. Quel fut le skieur vainqueur des deux premières Coupe du monde en 1967 et en 1968 ?

10. Au tout début des années 1980, pas moins de treize sauteurs québécois font la pluie et le beau temps sur le circuit de la Coupe du monde en ski acrobatique. Comment surnomme-t-on cette « équipe » ?

11. Quel équipement sportif est né des mains de M. J. Burchett, en 1929, et qui constituait alors une planche de bois sur laquelle on se harnachait au moyen de tissus et de brides ?

12. Quel est l'inventeur de la motoneige ?

13. Quel sport d'hiver remonte aussi loin qu'à la préhistoire ?

14. Dans quel sport Wayne Gretzky a-t-il été le meilleur joueur au monde ?

15. Quels deux pays revendiquent la paternité du curling ?

JEUX-QUESTIONNAIRES ALPHABÉTIQUES

Des questions dont les réponses commencent
par la lettre en en-tête.

CULTURE GÉNÉRALE

JEU-QUESTIONNAIRE 25 :

« A »

1. Dans quelle ville se trouve le palais des Papes ?

2. Comment appelle-t-on la palette avec laquelle on appuie sur la langue pour examiner la bouche et la gorge ?

3. Qui est le titan révolté contre les dieux, condamné par Zeus à soutenir sur ses épaules la voûte du ciel ?

4. Comment appelle-t-on le pardon des péchés accordé par un prêtre ?

5. Que dit-on d'un soliste ou d'une chorale chantant sans aucun accompagnement musical ?

6. Quel mot signifie l'action de serrer quelqu'un dans ses bras en signe d'affection ou d'amitié ?

7. Quel est le nom parfois donné à l'océan Antarctique ?

8. Qu'est-ce qui sert d'abri aux usagers à un point d'arrêt d'autobus et sur lequel on peut souvent voir des panneaux publicitaires ?

9. À quel écrivain et cinéaste espagnol doit-on le film *Viva la Muerte* ?

10. Quel verbe désigne buter contre quelque chose ou encore être arrêté par un obstacle ?

11. Comment nomme-t-on tout appareil capable de s'élever ou de circuler dans les airs ?

12. Quelle est l'unité monétaire principale de l'Afghanistan ?

13. Comment appelle-t-on la pièce de tissu que l'on place sous le drap pour protéger le matelas ?

14. Quelle est, pour une chanteuse d'opéra, la voix la plus grave ?

15. Quel est le nom du biochimiste et écrivain américain d'origine russe, auteur d'un classique de la science-fiction *Fondation* ?

JEU-QUESTIONNAIRE 26 :

« B »

1. Comment appelle-t-on familièrement une petite valise contenant tout ce qu'il faut pour une nuit ?

2. Quel est ce gâteau oriental fait de pâte feuilletée au miel et aux amandes ?

3. Comment appelle-t-on une grosse bouteille de champagne qui contient seize bouteilles ordinaires ?

4. Qu'est-ce qu'un montage d'extraits d'un film projeté lors de sa sortie à des fins publicitaires ?

5. Qui est l'industriel italien, naturalisé Français, qui fut l'un des pionniers de la construction automobile de course, aussi synonyme de grand luxe ?

6. Comment nomme-t-on l'instrument servant à mesurer la pression atmosphérique ?

7. Quel nom donne-t-on à l'échelle utilisée pour mesurer la force du vent, cotée de 0 à 12 degrés ?

8. Comment qualifie-t-on un livre ayant un gros succès en librairie ou ayant eu un gros tirage ?

9. Quel est le nom de l'auteur-compositeur et chanteur belge, reconnu pour la qualité de ses textes poétiques ?

10. Quel est le jouet composé d'un petit bâton pointu relié à une cordelette à une boule percée d'un trou ?

11. Comment nomme-t-on un potage fait d'un coulis de crustacés ?

12. Quelle est la capitale du Massachusetts, port des États-Unis et ville culturelle reconnue ?

13. Quel est le lieu de campement léger et provisoire en particulier utilisé par les alpinistes qui grimpent de hautes montagnes ?

14. Comment nomme-t-on un vent du nord glacial, accompagné de tempêtes de neige ?

15. Un cuisinier français, descendant d'une lignée de grands chefs cuisiniers, est l'un des rénovateurs de l'art culinaire français. De qui s'agit-il ?

JEU-QUESTIONNAIRE 27 :

« C »

1. Quelle est la région vinicole de Toscane reconnue pour l'un de ses vins ?

2. Quel est l'oiseau de la famille des psittacidés d'Océanie et de l'Asie du Sud au plumage coloré, à la queue courte et à la huppe érectile ?

3. Quel mollusque marin voisin de la seiche, abondant sur les côtes méditerranéennes, est très recherché pour sa chair ?

4. Qui sont les géants forgerons et bâtisseurs n'ayant qu'un œil au milieu du front ?

5. Comment appelle-t-on une voie d'eau artificielle creusée pour la navigation ?

6. Quel est le nom du jeu qui se joue habituellement entre quatre joueurs avec deux jeux de 52 cartes ?

7. Comment appelle-t-on ce qui concerne le cœur et les vaisseaux sanguins ?

8. Quel nom donne-t-on à un dessin ou à une peinture donnant de quelqu'un une image exagérée ou déformée ?

9. Quelle femme reçut le prix Nobel de la physique en 1903, et de la chimie en 1911 ?

10. Quel plat délicieux prépare-t-on avec de la viande de bœuf crue, coupée en fines lamelles nappées d'huile d'olive et de citron ?

11. Quelle est la substance jaune-brun, formée dans le conduit auditif externe par les glandes sébacées qui le tapissent ?

12. Comment nomme-t-on un prêtre sorcier de certaines religions qui communique avec les esprits en utilisant les techniques de la transe ?

13. Qui, avec Geronimo, unifia la nation apache et l'organisa pour pouvoir résister au harcèlement des Blancs ?

14. Quel est le mammifère ruminant à deux bosses graisseuses sur le dos et adapté aux régions arides ?

15. Comment appelle-t-on le bonnet en fourrure qui protège les oreilles, le front et la nuque des Russes ?

JEU-QUESTIONNAIRE 28 :

« D »

1. Quel nom porte la perte de la faveur, de l'estime de quelqu'un ou de quelque chose dont une personne jouissait ?

2. Quel homme politique d'Haïti fut président de la République de 1957 à 1971 et exerça un pouvoir dictatorial ?

3. Quelle expression signifie « très vite, en toute hâte » ?

4. Quel mot utilise-t-on pour désigner l'ensemble des règles et des devoirs qui régissent une profession ?

5. Comment appelle-t-on le trouble de la vue qui fait voir double les objets ?

6. Quel personnage du roman homonyme de Bram Stoker est inspiré d'un prince de Valachie ?

7. Quel est le mammifère marin long de 2 à 4 m vivant en troupes dans toutes les mers ?

8. Comment appelle-t-on dans le langage du vin, en particulier, l'étape qui débarrasse le vin de ses impuretés en les laissant se déposer au fond de la bouteille ?

9. En musique, comment appelle-t-on l'intervalle équivalent à la moitié d'un ton ?

10. Quel est l'officier français tué avec seize de ses compagnons en luttant contre les Iroquois ?

11. Comment qualifie-t-on une boisson ou un médicament qui stimule la sécrétion de l'urine ?

12. Quelle est la déesse romaine de la chasse et de la nature sauvage ?

13. Comment nomme-t-on la salle où se pratiquent les arts martiaux ?

14. Quel nom donne-t-on à une double copie d'un document ?

15. Comment s'appelle la danseuse étoile qui vécut de 1878 à 1927 et qui influença la danse moderne ?

JEU-QUESTIONNAIRE 29 :

« E »

1. Comment nomme-t-on la boisson alcoolique extraite par distillation du vin, du marc et de certains fruits ?

2. Quelle est la technique d'imagerie médicale utilisant la réflexion d'un faisceau d'ultrasons par les organes ?

3. Quel est le nom du navire chargé de 4 500 immigrants juifs que la marine britannique empêcha en juillet 1947 d'atteindre la côte palestinienne ?

4. Quel est le crustacé d'eau douce, atteignant 10 cm de long, qui est muni de pinces et est comestible ?

5. Quel bois noir, dur et lourd, se vend très cher ?

6. Quel est le mot qui signifie « une émanation qui vient du corps des êtres humains, des fleurs et des aliments » ?

7. Comment nomme-t-on, dans certains pays musulmans, un gouverneur ou un prince ?

8. Quel mot désigne une défense faite provisoirement à un navire étranger de quitter un port ?

9. Quel nom donne-t-on parfois à l'ensemble de l'Europe et de l'Asie ?

10. Quelle personne intervient dans les affaires galantes pour de l'argent ?

11. Comment nomme-t-on la période durant laquelle un évêque occupe son siège ?

12. Quel nom donne-t-on à un récit poétique qui raconte les exploits d'un héros et où intervient le merveilleux ?

13. Quel physicien allemand naturalisé américain en 1940 a découvert la loi de la relativité ?

14. Qui est le dieu de l'amour chez les Grecs ?

15. Quel poisson est censé donner le meilleur caviar du monde ?

JEU-QUESTIONNAIRE 30 :

« F »

1. Quel personnage du roman de Mary Shelley (1818) est l'un des classiques du fantastique et du roman d'épouvante ?

2. Quelle est l'unité de mesure de température anglo-saxonne ?

3. Quel régime fut établi en Italie de 1922 à 1945 par Mussolini ?

4. Comment nomme-t-on l'instrument de musique composé de tubes d'inégale longueur sur lesquels on promène les lèvres ?

5. Quel homme politique devint président des États-Unis après la démission de Nixon ?

6. Chez l'homme, quel organe est le plus volumineux et remplit de multiples fonctions ?

7. Quel mot signifie « une empreinte ou un reste de plante ou d'animal ayant vécu avant l'époque historique, et qui a été conservé dans des dépôts sédimentaires » ?

8. Quel mot désigne une personne qui trompe avec une adresse perfide, sournoise ?

9. Quel fruit pousse sur un arbrisseau cultivé, voisin de la ronce, mais qui existe aussi à l'état sauvage ?

10. Quel astronome français est l'auteur de nombreux ouvrages de vulgarisation dont le nom est aujourd'hui celui d'une maison d'édition ?

11. Quel verbe désigne l'action de fouiller, de chercher pour découvrir des choses cachées ou des secrets ?

12. Comment nomme-t-on une baguette de charbon qui sert à dessiner ?

13. Quel est l'os le plus fort de tous les os du corps humain ?

14. Quelle est la céramique à pâte argileuse, tendre, poreuse et recouverte d'un enduit imperméable et opaque ?

15. Quel est le fondateur de la psychanalyse ?

JEU-QUESTIONNAIRE 31 :

« G »

1. Quel nom donne-t-on à une petite antilope très rapide, vivant dans les steppes d'Afrique et d'Asie ?

2. Quel acteur et auteur dramatique français a incarné un certain esprit parisien, brillant et caustique ?

3. Quelle science étudie l'hérédité dont les premières lois ont été érigées par Mendel en 1865 ?

4. Comment appelle-t-on la technique divinatoire fondée sur l'observation des figures formées par des cailloux ou de la terre jetés au hasard sur une surface plane ?

5. Quel nom donne-t-on à l'étude des phénomènes de vieillissement sous leurs divers aspects ?

6. Quel est le mot pour décrire des objets qui s'emboîtent les uns dans les autres, ou que leur taille décroissante permet de ranger en les incorporant l'un dans l'autre ?

7. Quelle maladie est caractérisée par une grosseur au cou causée par une augmentation de volume de la glande thyroïde ?

8. Quelle grande femme de lettres québécoise vécut entre 1893 et 1968, et faut l'auteure de contes rustiques et de romans du terroir ?

9. Comment appelle-t-on la maladie de l'œil causée par une augmentation de la pression intérieure et menant à une diminution du champ visuel ?

10. Quelle famille d'origine génoise a établi son autorité sur Monaco au xvᵉ siècle ?

11. Quel singe vivant en Afrique équatoriale est le plus grand et le plus fort de tous ?

12. Quelle spécialité hongroise est un ragoût de bœuf mijoté avec des oignons, des pommes de terre et du paprika ?

13. Quel mot qualifie un grand maître spirituel hindou, mais qui a aujourd'hui une tendance péjorative ?

14. Quel est le nom des gorges du Colorado, dans l'Arizona ?

15. Comment appelle-t-on l'ensemble des règles phonétiques, morphologiques et syntaxiques, écrites et orales d'une langue ?

JEU-QUESTIONNAIRE 32 :

« H »

1. Quel État d'Amérique centrale situé sur la mer des Antilles a pour capitale Tegucigalpa ?

2. Comment nomme-t-on un abri, ouvert ou fermé, de construction rudimentaire et servant à différents usages ?

3. Quel mot signifie « une élévation du fond de la mer ou d'un cours d'eau, toujours recouverte d'eau mais dangereuse pour la navigation » ?

4. Quel compositeur de musique autrichien nous donna les symphonies londoniennes et parisiennes ?

5. Comment appelle-t-on l'inflammation du foie, ayant pour origine une infection ou un virus ?

6. Quel cinéaste britannique, devenu par la suite Américain, est qualifié de « maître du suspense » ?

7. Quelle figure géométrique possède sept côtés, donc sept angles ?

8. Quel mammifère carnivore proche de la belette possède une fourrure recherchée ?

9. Comment appelle-t-on un musicien ambulant pouvant jouer de plusieurs instruments ?

10. Quelle est la plus haute chaîne de montagnes du monde ?

11. Quel verbe signifie « faire de vifs reproches à quelqu'un ou le réprimander » ?

12. Comment nomme-t-on la position philosophique qui met l'homme et les valeurs humaines au-dessus des autres valeurs ?

13. Quelle race de chien est reconnue pour le tir de traîneaux dans les pays nordiques ?

14. Comment appelle-t-on un avion conçu pour prendre son envol de la surface de l'eau et s'y poser de la même façon ?

15. Quel créateur de bandes dessinées nous a donné à partir de 1929 les aventures de Tintin ?

JEU-QUESTIONNAIRE 33 :

« I »

1. Comment appelle-t-on un bloc de glace de très grande taille flottant à la surface de la mer ?

2. Quel cimetière de Paris fut remplacé par l'ancien marché des Halles ?

3. Comment désigne-t-on une action d'une force qui agit par poussée sur quelqu'un et qui tend à lui imprimer un mouvement ?

4. Où eut lieu la victoire de Napoléon sur les Prussiens en 1806, et qui ouvrit la route de Berlin ?

5. Quel mot désigne une personne qui cherche à garder secrète son identité ?

6. Comment appelle-t-on une situation ou un phénomène caractérisé par une hausse généralisée, permanente et plus ou moins importante des prix ?

7. Quel quotidien soviétique, organe du Praesidium du Soviet suprême, fut fondé en 1917 ?

8. Quel pays de l'Asie méridionale est constitué par un vaste triangle bordé au nord par l'Himalaya ?

9. Quelle est la monnaie principale du Pérou ?

10. Qu'est-ce qu'un atome ou un groupe d'atomes ayant gagné ou perdu un ou plusieurs électrons ?

11. Quel mot se dit d'un caractère d'imprimerie incliné vers la droite ?

12. Quel nom signifie « le chemin à suivre ou suivi pour aller d'un lieu à un autre » ?

13. Quel est le nom de la société américaine fondée en 1910 que l'on appelle communément par l'abréviation ITT ?

14. Quel graminée à grains toxiques, commune dans les prés et les cultures, dérange la croissance des céréales ?

15. Quel nom de rivière des Alpes du Nord est très souvent utilisé dans les mots croisés ?

JEU-QUESTIONNAIRE 34 :

« J »

1. Qui fut l'épouse d'Achab, dont l'action religieuse fut stigmatisée par le prophète Élie ?
2. Quelle est la plus grosse et la plus massive des planètes du système solaire ?
3. Comment nomme-t-on un cercle qui constitue la périphérie d'une roue de véhicule ?
4. Comment appelle-t-on un ruban élastique servant à fixer le bas en le maintenant tiré ?
5. Quel anglicisme sert à décrire un thème musical destiné à introduire ou à accompagner une émission ou un message publicitaire ?
6. Comment nomme-t-on un ornement de dentelle ou de tissu froncé ou plissé, fixé au plastron d'un vêtement ?
7. Comment nomme-t-on une chanson et une danse populaire espagnole à trois temps, avec accompagnements de castagnettes ?
8. Quel mot signifie « une expression grossière ou blasphématoire traduisant une réaction vive de dépit ou de colère » ?
9. Quelle chanteuse américaine obtint le titre de « plus grande chanteuse blanche de blues et de rock » ?
10. Qui agit en redresseur de torts sans en avoir reçu le pouvoir légal ?
11. Quelle île est découverte par Christophe Colomb en 1494 ?
12. Quel temple romain n'était fermé qu'en temps de paix ?
13. Quel ordre de chevalerie, fondé en 1348, avait pour devise « Honni soit qui mal y pense » ?
14. Sous quel nom Albino Luciani fut-il l'un des papes au pontificat les plus courts ?
15. Quels Indiens d'Amazonie coupaient et réduisaient la tête de leurs ennemis morts ?

JEU-QUESTIONNAIRE 35 :

« K »

1. Quel massif volcanique d'Afrique porte le point culminant du continent ?

2. Comment appelle-t-on un aliment conforme aux prescriptions rituelles du judaïsme ?

3. Quelles sont les deux lettres qui signifient « assommé par un choc violent » ?

4. Quel mammifère marsupial, grimpeur, aux oreilles rondes, vit en Australie ?

5. Quelle est la capitale de l'Afghanistan ?

6. Quel écrivain tchèque de langue allemande a écrit *La métamorphose* ?

7. Quelle est la divinité redoutable du panthéon hindouiste, épouse de Siva ?

8. Quel nom donnait-on au service de renseignement de l'URSS ?

9. Quel pasteur américain noir a reçu le prix Nobel de la paix en 1964 ?

10. Quelle ancienne forteresse, et quartier central de la capitale russe, domine la rive gauche de la Moskova ?

11. Quelle société secrète américaine créée après la guerre de Sécession est d'une xénophobie violente ?

12. Quelle jupe courte est portée par les montagnards écossais ?

13. Comment se nomme le deuxième sommet du monde, dans l'Himalaya ?

14. Quelle expression familière signifie « pareil ou égal » ?

15. Comment appelle-t-on un mouchoir jetable en ouate de cellulose ?

JEU-QUESTIONNAIRE 36 :

« L »

1. Comment nomme-t-on un réseau compliqué de chemins où l'on a du mal à s'orienter ?

2. Quel mot désigne un couteau de poche à manche légèrement recourbé et à lame allongée ?

3. Dans quelle ville les Beatles sont-ils apparus publiquement pour la première fois ?

4. Quel chant de tristesse et de déploration est souvent utilisé dans le madrigal, la cantate et l'opéra italien ?

5. Quel tennisman français a donné son nom à une marque de vêtements de sport ?

6. Quel dispositif à deux branches, muni d'un élastique et d'une pochette, se servent les enfants pour lancer des pierres ?

7. Comment nomme-t-on les petits gâteaux secs en forme de languettes arrondies ?

8. De quel ordre de plantes font partie les pois chiches, les lentilles, la luzerne et le trèfle ?

9. Quelle maladie se manifeste le plus souvent par une prolifération de globules blancs dans le sang ?

10. Quel criminel fut accusé du meurtre de dix femmes, condamné à mort puis exécuté même s'il a toujours nié les avoir tuées ?

11. Quel arbuste originaire du Moyen-Orient cultive-t-on pour ses grappes de fleurs mauves ou blanches des plus odorantes ?

12. Quel nom donne-t-on à un ancien local professionnel ou un entrepôt transformé en appartement ou en studio d'artiste ?

13. Comment appelle-t-on un ouvrage en saillie sur un toit, qui comporte une ou plusieurs fenêtres laissant entrer la lumière du jour ?

14. Quel mot signifie « l'espace de temps qui s'écoule entre deux nouvelles lunes consécutives » ?

15. Comment appelle-t-on un déboîtement ou le déplacement d'un os dans son articulation ?

JEU-QUESTIONNAIRE 37 :

« M »

1. Quel nom donne-t-on à l'ensemble des pratiques fondées sur la croyance en des forces surnaturelles immanentes de la nature et visant à se concilier ces forces ?

2. Qui est d'une constitution délicate et fragile.

3. Quel écrivain qui dénonçait les contraintes sociales nous a donné les romans *Tropique du Cancer* et *Tropique du Capricorne* ?

4. Quel nom donne-t-on aux habitants de Saint-Malo ?

5. Quel oiseau des régions antarctiques a les membres antérieurs impropres au vol, mais qui lui servent de nageoire ?

6. Comment appelle-t-on quelqu'un qui se situe en marge de la société ?

7. Quel quotidien, fondé en 1944 par Hubert Beuve-Méry, est toujours aux premiers rangs de la presse française ?

8. Quel appareil sert à marquer la pulsation rythmique d'un morceau de musique ?

9. Comment désigne-t-on les chiffres indiquant l'année d'émission d'une pièce de monnaie, ou celle de la récolte du raisin ayant servi à faire un vin ?

10. Quel vent violent, turbulent et sec souffle du secteur nord sur la France méditerranéenne ?

11. Quel film américain d'Hitchcock en 1959 est devenu l'un des classiques du genre ?

12. Quelle expression désigne un accommodement, un arrangement dans une relation, une manière de vivre sans se déranger l'un l'autre ?

13. Quelle huile parfumée d'origine tahitienne est à base de noix de coco et de fleurs de tiaré ?

14. Comment s'appelle le petit pot dans lequel on sert la moutarde ?

15. Comment nomme-t-on l'utilisation des effets de l'audition ou de la réalisation musicale à des fins psychothérapeutiques ?

JEU-QUESTIONNAIRE 38 :

« N »

1. Quel est le nom de l'héroïne tiré du titre d'un roman d'Émile Zola ?

2. Comment qualifie-t-on un personnage fastueux et très riche ?

3. Quel est le nom de la pipe orientale, à long tuyau communiquant avec un flacon d'eau que la fumée traverse avant d'arriver à la bouche du fumeur ?

4. Quel est le nom d'un port du Brésil sur l'Atlantique, qui est aussi la capitale de l'État du Rio Grande do Norte ?

5. Comment appelle-t-on l'exaltation du sentiment national ?

6. Quel autre nom donne-t-on à un déshabillé ?

7. Quelle science occulte prétend évoquer les morts pour obtenir des révélations ou des réponses ?

8. Deux villes, l'une de l'État de New York, l'autre de la province de l'Ontario, séparées par une rivière, portent le même nom. Lequel ?

9. Quelle est la treizième lettre de l'alphabet grec ?

10. Quel autre nom utilise-t-on pour « nudiste » ?

11. Comment appelle-t-on la route maritime de l'océan Arctique au nord de la Sibérie, conduisant de l'Atlantique au Pacifique par le détroit de Béring ?

12. Quel est le nom des déesses des rangs inférieurs qui hantaient les bois, les montagnes, les fleuves et les rivières ?

13. Comment s'appellent les embryons ou les larves des huîtres et des moules d'élevage ?

14. Dans quelle forêt Robin des Bois sévissait-il ?

15. Quel adjectif désigne une personne parvenue à quatre-vingt-dix ans ?

JEU-QUESTIONNAIRE 39 :

« O »

1. Quel projectile est utilisé par l'artillerie, habituellement de forme cylindrique ?

2. Quelle partie se trouve à l'arrière et au milieu du bas de la tête ?

3. Quelle est la plus peuplée des îles de Hawaï ?

4. Quel complexe amoureux trouble Freud a-t-il mis en évidence ?

5. Quel mouvement clandestin tenta par la violence de s'opposer à l'indépendance de l'Algérie ?

6. Quel est le titre du poème épique en 24 chants attribué à Homère ?

7. Quel mot utilise-t-on au figuré pour décrire un lieu ou une situation qui procure du calme ?

8. De quelle interjection se sert-on pour appeler ?

9. Quelle danse américaine était en vogue après la Première Guerre mondiale ?

10. Quelle est la dernière lettre de l'alphabet grec ?

11. Quel était l'auteur favori de la société mondaine des débuts de l'Empire romain ?

12. Comment appelle-t-on l'ensemble des pays de langue d'oc ?

13. Quel nom donne-t-on à la « loi du silence » ?

14. Comment appelle-t-on la réponse d'une divinité au fidèle qui la consultait ?

15. Quelle partie de la zoologie étudie les oiseaux ?

JEU-QUESTIONNAIRE 40 :

« P »

1. Quel fut le premier pape en 64 après Jésus-Christ ?

2. Quel peintre canadien a contribué à l'essor de l'art canadien moderne ?

3. Quelle fête a été fixée par le concile de Nicée au premier dimanche après la pleine lune qui a lieu soit le jour de l'équinoxe du printemps, soit aussitôt après cette date ?

4. Comment appelle-t-on le pistolet automatique de gros calibre en usage autrefois dans l'armée allemande ?

5. Quel fut le premier quotidien national français à utiliser la couleur ?

6. Comment appelle-t-on une peau d'animal spécialement traitée pour l'écriture ou la reliure ?

7. Quel est le nom familier de « toucher sensuellement en palpant » ?

8. Quel écrivain et cinéaste italien est mort assassiné sur une plage ?

9. Quel surnom a-t-on accolé au nom d'Elvis, à ses débuts, en raison de ses déhanchements suggestifs ?

10. Quel nom donne-t-on à une personne autoritaire, au ton sec et cassant ?

11. Comment appelle-t-on le dispositif destiné à préserver les appareils et les lignes électriques contre les effets de la foudre ?

12. Qui était surnommé « l'Apôtre des gentils » ?

13. Quel footballeur brésilien est entré dans la légende de son vivant ?

14. Quel héros d'un roman pour la jeunesse l'Italien Collodi créa-t-il ?

15. De quoi qualifie-t-on familièrement une personne qui se laisse duper facilement ?

JEU-QUESTIONNAIRE 41 :

« Q »

1. Quel nom donne-t-on à un métis ayant un quart de sang de couleur, et trois quarts de sang blanc ?

2. Quel groupement religieux protestant a été fondé en 1652 par un jeune cordonnier anglais ?

3. Quelle ville fut le berceau de la civilisation française en Amérique ?

4. Quel est le grade le moins élevé dans la hiérarchie de la marine militaire française ?

5. Quel est le mot familier pour désigner un homme dont on ignore ou on tait le nom ?

6. Quelle expression signifie « être sur ses gardes » ?

7. Quelle erreur fait prendre une chose pour une autre ?

8. Quel est le nom du sonneur de Notre-Dame dans l'œuvre de Victor Hugo ?

9. Qu'est-ce qu'un ensemble de cinq instruments ou de cinq chanteurs ?

10. Quel mot venant du lorrain désigne une tarte salée en pâte brisée ?

11. Quel mot utilise-t-on familièrement pour désigner un habit de cérémonie ?

12. Quelle est la capitale de l'Équateur ?

13. Quelle substance hallucinogène est extraite des feuilles d'un arbuste du Yémen ?

14. Quelle locution signifie « être réduit à ne pouvoir répondre » ?

15. Quel est le nom de la ville sainte de l'islam chiite ?

JEU-QUESTIONNAIRE 42 :

« R »

1. Quel est le nom du chef d'une communauté juive qui préside au culte ?

2. Comment appelle-t-on l'ensemble des rédacteurs d'un journal ?

3. Quel nom est donné au thymus du veau, qui est aussi un plat apprécié ?

4. Quel est le grand dieu solaire de l'ancienne Égypte ?

5. Quel nom a été donné à l'action clandestine au cours de la Seconde Guerre mondiale ?

6. Quel groupe marqua la renaissance du rock après Elvis Presley ?

7. Dans quel pays se trouve la ville de Rugby ?

8. Dans la cathédrale de quelle ville de France la plupart des rois furent-ils sacrés ?

9. Quel nom donne-t-on à une personne qui trouble la joie des autres par son humeur chagrine ?

10. Quel mot englobe chacune des trois grandes subdivisions de l'espèce humaine ?

11. Quel style musical très syncopé était en vogue vers la fin du XIXᵉ siècle ?

12. À quel peintre doit-on la toile *Le reniement de saint Pierre* ?

13. Comment appelle-t-on un revenu annuel ?

14. Quel est le nom de la prière de l'Église catholique pour les morts ?

15. Quel écrivain français est le parfait modèle des humanistes de la Renaissance ?

JEU-QUESTIONNAIRE 43 :

« S »

1. Quel est le nom du mouvement nationaliste irlandais fondé en 1922 ?

2. Comment appelle-t-on le dépôt d'une chose litigieuse entre les mains d'un tiers en attendant le règlement de la contestation ?

3. Quel inventeur mit au point les premiers modèles pratiques de machine à coudre ?

4. Quel mot anglo-américain, entré dans la langue française, signifie « exciter le désir » ?

5. Quel est le nom de la chapelle du Vatican construite sous l'ordre du pape Sixte IV ?

6. Quel récipient est formé d'une double timbale, que l'on utilise pour la préparation des cocktails ?

7. Quel pont célèbre se trouve à Venise ?

8. Quelle partie est située dans la cale ou l'entrepont d'un navire ?

9. Comment appelle-t-on un atelier d'artiste ?

10. Quel est le nom du quotidien italien créé à Turin en 1894 ?

11. Comment se nommaient les partisans de l'esclavagisme lors de la guerre de Sécession américaine ?

12. Quelle ville américaine fondée en 1776 connut un grand essor à l'occasion de la ruée vers l'or ?

13. À quel auteur français doit-on le livre *La philosophie dans le boudoir* ?

14. D'une personne qui connaît et sait appliquer les règles de la politesse, on dit qu'elle a du…

15. Comment s'appelait la politique de ségrégation raciale ?

JEU-QUESTIONNAIRE 44 :

« T »

1. Quel est le nom du symbole cosmogonique qui représente le principe originel de l'Univers par l'union du yin et du yang ?

2. Quel hymne d'action de grâces de l'Église catholique tire son nom de ses premiers mots « Seigneur, nous te louons », mais en latin.

3. Quelle matière plastique résiste à la chaleur et à la corrosion ?

4. L'explosion du réacteur de quelle centrale nucléaire a provoqué une pollution radioactive importante en 1986 ?

5. Quelle fut la dernière province à se joindre au Canada en 1949 ?

6. Quel nom donne-t-on, en parapsychologie, au mouvement spontané d'objets sans intervention aucune ?

7. Quelle épreuve permet d'évaluer les aptitudes de quelqu'un ?

8. Quel mot signifie « pour la troisième fois » ?

9. Quel héros de bande dessinée porte le prénom d'Achille ?

10. Qui était Agnes Gonxha Bajaxhiu ?

11. Quel archipel de Polynésie portait anciennement le nom de « îles des Amis » ?

12. Quelle expression utilise-t-on pour décrire quelqu'un de proche des préoccupations de la vie courante ?

13. Comment qualifie-t-on quelqu'un qui s'arrange pour échapper aux corvées ?

14. Comment appelle-t-on un chapeau à bords repliés en trois cornes ?

15. Sous quelle abréviation est connu un explosif particulièrement puissant ?

JEU-QUESTIONNAIRE 45 :

« U »

1. Quel est le nom du héros grec, l'un des principaux acteurs des poèmes homériques ?

2. Que signifie le sigle ULM ?

3. Comment qualifie-t-on une proposition précise qui n'admet aucune contestation ?

4. Que dit-on d'un rapace nocturne qui pousse son cri ?

5. Quel est le nom de l'organisme à but humanitaire qui fait la promotion de l'aide à l'enfance dans les pays du tiers-monde ?

6. Comment appelle-t-on des bénédictions solennelles adressées par le souverain pontife à Rome et au monde entier ?

7. Quelle est la note de musique, synonyme de do ?

8. Quel État des États-Unis est peuplé en majeure partie par les Mormons ?

9. Quel est le nom de la baie canadienne qui donne aussi son nom à un territoire nordique ?

10. On le dit de quelque chose qui conserve le même sens dans des emplois différents.

11. Comment s'appellent les religieuses de l'ordre fondé par sainte Angèle de Mérici ?

12. Quelle vibration ne peut être perçue par l'oreille humaine ?

13. Comment qualifie-t-on un mammifère dont la femme n'a qu'un seul petit chaque portée ?

14. Quelle organisation mène des actions de guérilla contre le gouvernement angolais ?

15. Les lettres U. K. sont le sigle de quel pays ?

JEU-QUESTIONNAIRE 46 :

« V »

1. Comment appelle-t-on une petite ou une jeune vache ?
2. Comment s'appelle, à la chasse, celui qui dirige les chiens courants ?
3. Quel écrivain créa le roman scientifique d'anticipation ?
4. Ce mot, né dans la région méditerranéenne, décrit la vengeance d'une offense: quel est-il ?
5. Quel volcan toujours actif ne se trouve qu'à quelques kilomètres de Naples ?
6. Comment appelle-t-on le temps qui s'écoule depuis le repas du soir jusqu'au coucher ?
7. Quel tourbillon creux prend naissance, sous certaines conditions, dans un fluide en écoulement ?
8. Comment appelle-t-on l'ensemble des produits de boulangerie tels que des pains au lait, des brioches, des croissants, etc. ?
9. Quel paysan pauvre, voleur de bétail, devint néanmoins l'un des principaux chefs de la révolution mexicaine ?
10. À quel endroit se déroula la plus sanglante bataille de la Première Guerre mondiale ?
11. Quel nom donne-t-on à un petit couteau servant à ôter le cœur des pommes sans les couper ?
12. Quel est le qualificatif utilisé pour quelque chose de vieux, de détérioré par le temps ?
13. Quel port du Canada est situé sur le détroit de Géorgie, et près de l'embouchure du Fraser ?
14. Comment appelait-on autrefois le suppléant du comte ?
15. Par quel mot définit-on la disposition naturelle à agir contre la morale ?

JEU-QUESTIONNAIRE 47 :

« W »

1. Comment appelle-t-on une voiture de chemin de fer aménagée pour permettre aux voyageurs de dormir dans une couchette ?

2. Quel nom donne-t-on au grand cerf d'Amérique du Nord et d'Asie ?

3. À quel endroit eut lieu la victoire décisive des Anglais et des Prussiens sur Napoléon ?

4. Quel est le nom de l'académie militaire des officiers américains créée en 1802 ?

5. Quel est l'anglicisme qui désigne un haut-parleur de sons graves ?

6. Que désignent encore les initiales W.-C. en France ?

7. Quel nom fut donné au régime politique de l'Allemagne de 1919 à 1933 ?

8. Quelle eau-de-vie de grain fabrique-t-on surtout en Écosse et aux États-Unis ?

9. Quel mot désigne les films dont l'action se déroule dans l'Ouest américain à l'époque des pionniers ?

10. Quel syndicaliste polonais est devenu le principal leader des mouvements revendicatifs de 1980 ?

11. Quel jeu de ballon se joue dans l'eau entre deux équipes ?

12. Quel système musical réfère au compositeur Wagner ?

13. Quel est le nom de l'affaire d'espionnage politique qui eut lieu dans un édifice de Washington ?

14. Sur quelle avenue de Londres se trouve le siège des principaux ministères ?

15. Quel festival pop américain marqua une génération ?

JEU-QUESTIONNAIRE 48 :

« ✗ »

1. Quelle rivière du Brésil est un affluent de l'Amazone ?
2. Comment s'appelle l'expulsion d'étrangers indésirables par mesures administratives ?
3. Quel est le nom scientifique de l'« abeille charpentière » ?
4. Quel est le dialecte chinois parlé au Hunan ?
5. Par quel mot qualifie-t-on quelqu'un d'hostile aux étrangers ?
6. Quel vin blanc sec peut aussi s'écrire avec un « j » ?
7. Quel compositeur grec naturalisé français travailla avec Le Corbusier et établit des correspondances entre la musique et l'architecture ?
8. Quel instrument de musique est composé de lames de bois d'inégale longueur ?
9. Comment appelle-t-on un graveur sur bois ?
10. Quel est le symbole chimique du xénon ?

JEU-QUESTIONNAIRE 49 :

« Y »

1. Quelle est la principale unité monétaire du Japon ?

2. Quel ruminant au long pelage vit au Tibet à 5 000 m d'altitude ?

3. À quel endroit se tint une conférence réunissant Churchill, Roosevelt et Staline en février 1945 ?

4. Quelles sont les deux forces cosmologiques indissociables du Tao ?

5. Quelle interjection marque la joie ou l'enthousiasme ?

6. Quel mot décrit le style de musique, adapté de chansons de succès américains, en vogue parmi les jeunes dans les années 1960 ?

7. Quelle discipline spirituelle et corporelle a pour but de libérer les contraintes du corps ?

8. Quel est le parc des États-Unis où vivait Yogi l'ours ?

9. Quel récipient clos sert à la fabrication domestique du yaourt ?

10. Quelle est la capitale du Cameroun ?

11. Quelle femme de lettres de nationalité américaine et française fut la première femme élue à l'Académie française ?

12. Quel est le nom du personnage légendaire aussi appelé l'« abominable homme des neiges » ?

13. Quelle langue germanique est parlée par les juifs ashkénazes ?

14. Quel territoire canadien compte environ 25 000 habitants sur une superficie de près de 500 000 km^2 ?

15. Quel surnom a-t-on donné aux jeunes cadres dynamiques et ambitieux dans les années 1990 ?

JEU-QUESTIONNAIRE 50 :

« Z »

1. Quelle île avec celle de Pemba forme la Tanzanie insulaire ?
2. Quel révolutionnaire mexicain souleva les péons pour obliger une réforme agraire ?
3. Quelle protéine est extraite du maïs ?
4. Sur quel circuit automobile le pilote Gilles Villeneuve a-t-il perdu la vie au volant de sa Ferrari ?
5. Quel canot en caoutchouc peut être équipé d'un moteur hors-bord ?
6. Dans le langage populaire, quel mot signifie « regarder » ?
7. Quelle ligne brisée forme des angles alternativement saillants et rentrants ?
8. Comment se nomment les gardes papaux ?
9. Quel grand bovidé domestique est caractérisé par une bosse adipeuse sur le garrot ?
10. Comment appelle-t-on familièrement le comptoir d'un bar ?
11. Dans le vaudou, comment appelle-t-on le mort sorti du tombeau que le sorcier met à son service ?
12. Quel est le nom du dieu suprême du panthéon grec ?
13. Quel écrivain prit violemment partie dans une affaire politique, en publiant notamment un livre intitulé *J'accuse* ?
14. Comment appelle-t-on l'adoration des animaux divinisés ?
15. Quel est le nom de la martre de Sibérie et du Japon à poil très fin et... très recherché ?

SOLUTIONS

JEUX-QUESTIONNAIRES CHRONOLOGIQUES

ANNÉES 90 : CULTURE GÉNÉRALE

JEU-QUESTIONNAIRE 1
1. Une expérience de réalité virtuelle
2. Le cybershopping
3. Le Koweit
4. L'Allemagne
5. 500 millions

JEU-QUESTIONNAIRE 2
1. Rajiv Gandhi
2. Jim Morrison
3. La danse, elle fut danseuse et chorégraphe
4. Boris Eltsine
5. Willie Shoemaker

JEU-QUESTIONNAIRE 3
1. Le « CD I », un lecteur de disques compacts
2. Albertville
3. Les talibans
4. Los Angeles
5. Rio de Janeiro

JEU-QUESTIONNAIRE 4
1. Raymond Burr
2. Le jour de la marmotte (Groundhog Day)
3. Ben Johnson
4. Monica Seles
5. Nelson Mandela et Frederik de Klerk

JEU-QUESTIONNAIRE 5
1. La Grèce
2. Torvill et Dean
3. Les îles Shetland
4. Suharto
5. L'antenne parabolique, ou la soucoupe satellite

JEU-QUESTIONNAIRE 6
1. Kobé
2. Mir
3. Tokyo
4. O. J. Simpson
5. Jacques Parizeau

JEU-QUESTIONNAIRE 7
1. Jerry Siegel
2. En France
3. La baleine noire

4. McDonald's
5. La farine animale

JEU-QUESTIONNAIRE 8

1. Hong Kong
2. Nelson Mandela
3. Dodi Al Fayed
4. Pol Pot
5. El Niño

JEU-QUESTIONNAIRE 9

1. La Corée du Sud
2. La méningite
3. Cuba
4. Séoul et São Paulo
5. John Kennedy Jr.

JEU-QUESTIONNAIRE 10

1. Joe Di Maggio
2. Le bug de l'an 2000
3. Le prince Edward et Sophie Rhys-Jones
4. Le dalaï-lama
5. Slobodan Milosevic
6. Mario Puzo
7. Moncton
8. Le 11 août
9. Martin Landau
10. Au décathlon
11. L'Olympique de Marseille
12. Stanley Kubrick
13. Les côtes de Bretagne
14. 6 milliards d'habitants
15. La guerre des Boers

JEUX-QUESTIONNAIRES THÉMATIQUES

ART ET CULTURE

JEU-QUESTIONNAIRE 11

1. Michel Serrault
2. Rock Hudson
3. Alfred Hitchcock
4. Anthony Quinn
5. Sean Connery
6. Michèle Morgan
7. Moïse
8. Extra-terrestre
9. Hannibal Lecter
10. Mary et Louise
11. Woody Allen
12. 36 ans
13. *Le train sifflera trois fois (High Noon)*
14. Charlie Chaplin
15. Zorro

JEU-QUESTIONNAIRE 12

1. Arsène Lupin
2. John Steinbeck

3. *Le Parrain (The Godfather)*
4. Louis Hémon
5. *Autant en emporte le vent*
6. Marguerite Duras
7. Ernest Hemingway
8. Miss Marple
9. Carrie
10. Marguerite Yourcenar
11. Boris Vian
12. Les raisins de la colère *(The Grapes of Wrath)*
13. *La dame aux camélias*
14. Le rôle de Hamlet, dans la pièce du même nom, avec 1422 lignes
15. Paul Verlaine

JEU-QUESTIONNAIRE 13

1. Georges Brassens
2. Mick Jagger
3. Diana Ross
4. Belge (Jacques Brel)
5. Nana Mouskouri
6. *Beat It* (Michael Jackson)
7. Ringo Starr
8. Gilles Vigneault
9. Cats
10. *La Neuvième Symphonie* de Beethoven
11. Céline Dion
12. George Gershwin
13. Serge Gainsbourg
14. 1943
15. *Yesterday*

TABLE !

JEU-QUESTIONNAIRE 14

1. Le brie
2. De l'eau
3. Le chou
4. La salade
5. Les pommes de terre; il a créé la purée instantanée
6. Le lait
7. Le mouton
8. La mayonnaise
9. Le saint-honoré
10. Le chou
11. La farine de maïs
12. La pomme
13. La sauce hollandaise
14. La vichyssoise
15. La vache

JEU-QUESTIONNAIRE 15

1. Le Manhattan
2. Du rhum
3. Du soda
4. Le muscadet
5. Dom Pérignon
6. Douze ans
7. Des grains de café
8. La crème de menthe
9. Rouge
10. Le coca-cola

11. Les baies de genièvre

12. En novembre

13. Le Martini

14. Southern Comfort

15. Le jus de raisin Welch

CURIOSITÉ

JEU-QUESTIONNAIRE 16

1. Le cerveau

2. Les hommes

3. La tuberculose

4. 206

5. Quatre

6. Le pancréas

7. De l'air

8. L'iris

9. Les ongles

10. Elle les resserre

11. Quatre

12. Une empreinte digitale

13. Les yeux bruns

14. 100 000

15. Le décès d'un conjoint

JEU-QUESTIONNAIRE 17

1. 14

2. L'Inde (1896-1897)

3. Le chimpanzé

4. L'Italie

5. Chanel

6. *Hey Jude*

7. 450 ans (One Eyed Jacks)

8. Miguel de Cervantes

9. 63 ans (1884-1947)

10. Non

11. Attila

12. Par-dessus son épaule droite

13. Un doigt

14. Faire la vaisselle

15. 150

GÉOGRAPHIE ET TOURISME

JEU-QUESTIONNAIRE 18

1. Damas

2. Sofia

3. Édimbourg

4. Djakarta

5. Séoul

6. Vienne

7. Brasilia

8. Nairobi

9. Wellington

10. Oslo

11. Manille

12. Dakar

13. Caracas

14. Ottawa

15. Reykjavik

JEU-QUESTIONNAIRE 19

1. Mexico
2. Honolulu
3. Rome
4. Manhattan
5. Rio de Janeiro
6. Venise
7. Bankok (Krung Thep Mahanakhon Bovorn Ratanakosyn Mahintharayutthaya Mahaidilok pop Noparatrachanthani Burirom Udomrat-chanivetmahasathan Amornpiman Avatarnathit Sakkathattiyavisnukarm-prasit)
8. La ville de Tabasco, au Mexique
9. Boston, l'aéroport international Logan
10. Staphorst
11. Montréal
12. Greenwich
13. Anchorage
14. Lima
15. Capri

HISTOIRE

JEU-QUESTIONNAIRE 20

1. Les kamikazes
2. Israël
3. Le Mahatma Gandhi
4. La guerre de Corée
5. Ben Bella
6. La Finlande, 1944
7. Americo Vespucci
8. Emiliano Zapata
9. En 1521, avec la chute de Tenochtitlan
10. La crise des missiles
11. De médecin
12. Deng Xiaoping
13. L'ayatollah Khomeiny
14. Rosa Luxemburg
15. L'Arménie

JEU-QUESTIONNAIRE 21

1. John F. Kennedy
2. Rose
3. Louis Riel
4. Pierre Elliott Trudeau
5. Joe Clark
6. Les Kennedy
7. George Washington
8. Les Nordistes
9. Richard Nixon
10. Pierre Elliott Trudeau
11. Sacco et Vanzetti
12. La guerre de Sécession
13. George Catlett Marshall
14. Abraham Lincoln
15. Martin Luther King

SCIENCE ET NATURE

JEU-QUESTIONNAIRE 22

1. La machine à laver électrique
2. Alessandro Volta
3. Le rein
4. Thomas Edison
5. Le percolateur
6. Le stéthoscope
7. Barbie
8. La chaise électrique
9. De l'air
10. Nintendo
11. Un ascenseur pour personnes
12. Schick
13. Les frères Lumière (le cinéma)
14. 1926
15. Steinway & Sons

JEU-QUESTIONNAIRE 23

1. L'éléphant
2. Un blanchon
3. Non
4. Nocturnes
5. La moitié
6. Le chihuahua
7. Du poisson
8. Le castor
9. Le lévrier
10. L'orignal
11. New York
12. La baleine bleue
13. 20 ans
14. Non
15. La chèvre

JEU-QUESTIONNAIRE 24

1. Le hockey
2. Le bobsleigh
3. Montréal
4. Slalom
5. À Saint-Pétersbourg
6. Madison Square Garden
7. Au Canada
8. 4 000 ans av. J.-C.
9. Jean-Claude Killy
10. La Québec Air Force
11. Le snowboard (ou planche à neige)
12. Joseph-Armand Bombardier
13. La raquette à neige
14. Le hockey sur glace
15. L'Écosse et la Hollande

JEUX-QUESTIONNAIRES ALPHABÉTIQUES

CULTURE GÉNÉRALE

JEU-QUESTIONNAIRE 25
1. Avignon
2. Un abaisse-langue
3. Atlas
4. L'absolution
5. *A capella*
6. Accolade
7. L'océan austral
8. Un abribus
9. Arrabal
10. Achopper
11. Aéronef
12. L'afghani
13. L'alaise
14. L'alto
15. Isaac Asimov

JEU-QUESTIONNAIRE 26
1. Un baise-en-ville
2. Le baklava
3. Un balthazar
4. Une bande-annonce
5. Bugatti
6. Le baromètre
7. L'échelle de Beaufort
8. De best-seller
9. Jacques Brel

10. Le bilboquet
11. Une bisque
12. Boston
13. Le bivouac
14. Un blizzard
15. Paul Bocuse

JEU-QUESTIONNAIRE 27
1. Chianti
2. Le cacatoès
3. Le calmar
4. Les cyclopes
5. Un canal
6. La canasta
7. Le cardiovasculaire
8. Une caricature
9. Marie Curie
10. Un carpaccio
11. Le cérumen
12. Un chaman
13. Cochise
14. Le chameau
15. Une chapka

JEU-QUESTIONNAIRE 28
1. La disgrâce
2. Jean-Claude « papa Doc » Duvalier
3. Dare-dare
4. La déontologie

5. La diplopie
6. Dracula
7. Le dauphin
8. Décanter
9. Le demi-ton
10. Adam Dollard-des-Ormeaux
11. Un diurétique
12. Diane
13. Un dojo
14. Un duplicata
15. Isadora Duncan

JEU-QUESTIONNAIRE 29
1. Eau-de-vie
2. L'échographie
3. *L'Exodus*
4. L'écrevisse
5. L'ébène
6. L'effluve
7. Émir
8. Un embargo
9. L'Eurasie
10. Un(e) entremetteur(euse)
11. Un épiscopat
12. Une épopée
13. Albert Einstein
14. Éros
15. L'esturgeon

JEU-QUESTIONNAIRE 30
1. *Frankenstein*
2. Le degré Fahrenheit
3. Le fascisme

4. La flûte de Pan
5. Gerald Ford
6. Le foie
7. Un fossile
8. Un filou
9. La framboise
10. Camille Flammarion
11. Fureter
12. Un fusain
13. Le fémur
14. La faïence
15. Sigmund Freud

JEU-QUESTIONNAIRE 31
1. Gazelle
2. Sacha Guitry
3. La génétique
4. La géomancie
5. La gérontologie
6. Gigogne
7. Le goitre
8. Germaine Guèvremont
9. Le glaucome
10. Les Grimaldi
11. Le gorille
12. Le goulache
13. Gourou
14. Le Grand Canyon
15. La grammaire

JEU-QUESTIONNAIRE 32
1. Le Honduras
2. Un hangar

3. Un haut-fond
4. Joseph Haydn
5. Une hépatite
6. Alfred Hitchcock
7. L'heptagone
8. L'hermine
9. Un homme-orchestre
10. L'Himalaya
11. Houspiller
12. L'humanisme
13. Le husky
14. Un hydravion
15. Hergé (Georges Remi)

JEU-QUESTIONNAIRE 33

1. Un iceberg
2. Le cimetière des Innocents
3. L'impulsion
4. À Iéna
5. Incognito
6. L'inflation
7. L'Izvestia
8. L'Inde
9. L'inti
10. Un ion
11. Italique
12. Un itinéraire
13. L'International Telephone and Telegraph Corporation
14. L'ivraie
15. Isère

JEU-QUESTIONNAIRE 34

1. Jézabel
2. Jupiter
3. Une jante
4. Une jarretière
5. Un *jingle*
6. Un jabot
7. Une jota
8. Un juron
9. Janis Joplin
10. Un justicier
11. La Jamaïque
12. Le temple de Janus
13. L'ordre de la Jarretière
14. Jean-Paul 1er
15. Les Jivaro

JEU-QUESTIONNAIRE 35

1. Le Kilimandjaro
2. Kasher
3. K.-O.
4. Le koala
5. Kaboul
6. Franz Kafka
7. Kali
8. Le KGB
9. Martin Luther King
10. Le kremlin
11. Le ku klux klan
12. Le kilt
13. Le K2

14. Kif-kif

15. Un kleenex

JEU-QUESTIONNAIRE 36

1. Un labyrinthe
2. Un laguiole
3. À Liverpool
4. Le lamento
5. René Lacoste
6. Un lance-pierres
7. Les langue-de-chat
8. Les légumineuses
9. La leucémie
10. Landru
11. Le lilas
12. Loft
13. Lucarne
14. Une lunaison
15. Une luxation

JEU-QUESTIONNAIRE 37

1. La magie
2. Un malingre
3. Henry Miller
4. Les Malouins
5. Le manchot
6. Un marginal
7. *Le Monde*
8. Un métronome
9. Millésime
10. Le mistral

11. *La mort aux trousses*
12. Un *modus vivendi*
13. La monoï
14. Un moutardier
15. La musicothérapie

JEU-QUESTIONNAIRE 38

1. Nana
2. De nabab
3. Le narguilé
4. Natal
5. Le nationalisme
6. Un négligé
7. La nécromancie
8. Niagara Falls
9. Nu
10. Naturiste
11. Le passage du Nord-Est
12. Les nymphes
13. Les naissains
14. La forêt de Nottingham
15. Un nonagénaire

JEU-QUESTIONNAIRE 39

1. Un obus
2. L'occiput
3. Oahu
4. Le complexe d'œdipe
5. L'OAS
6. *L'Odyssée*
7. Oasis

8. Ohé
9. Le one-step
10. Oméga
11. Ovide
12. L'Occitanie
13. L'*omerta*
14. Un oracle
15. L'ornithologie

JEU-QUESTIONNAIRE 40

1. Saint Pierre
2. Alfred Pellan
3. La fête de Pâques
4. Le parabellum
5. *Le Parisien libéré*
6. Parchemin
7. Peloter
8. Pier Paolo Pasolini
9. Pelvis
10. Un pète-sec
11. Un parafoudre
12. Saint Paul
13. Pelé
14. Pinocchio
15. De poire

JEU-QUESTIONNAIRE 41

1. Un quarteron
2. Les quakers
3. Québec
4. Le quartier-maître
5. Un quidam
6. Qui-vive (être sur le)

7. Un quiproquo
8. Quasimodo
9. Un quintette
10. Quiche
11. Une queue-de-pie
12. Quito
13. Le qat
14. Quia
15. Qum

JEU-QUESTIONNAIRE 42

1. Rabbin
2. La rédaction
3. Le ris
4. Rê
5. La résistance
6. Les Rolling Stones
7. En Angleterre
8. De Reims
9. Un rabat-joie
10. Race
11. Le ragtime
12. Rembrandt
13. Une rente
14. Le requiem
15. François Rabelais

JEU-QUESTIONNAIRE 43

1. Le Sinn Féin
2. Le séquestre
3. Isaac Singer
4. *Sex-appeal*
5. La chapelle Sixtine

6. Un shaker

7. Le pont des Soupirs

8. La soute

9. Un studio

10. *La Stampa*

11. Les sudistes

12. San Francisco

13. Alphonse François Sade, dit le Marquis de Sade

14. Du savoir-vivre

15. Le ségrégationnisme

JEU-QUESTIONNAIRE 44

1. Le t'ai-ki

2. Le Te Deum

3. Le téflon

4. Tchernobyl

5. Terre-Neuve

6. La télékinésie

7. Le test

8. Ter

9. Talon

10. Mère Teresa

11. Tonga

12. Terre-à-terre

13. Un tire-au-flanc

14. Un tricorne

15. TNT

JEU-QUESTIONNAIRE 45

1. *Ulysse*

2. Ultra léger motorisé, un petit avion de fabrication simplifiée

3. Unan me

4. Il ulule

5. L'Unicef

6. Urbi et orbi

7. Ut

8. L'Utah

9. La baie d'Ungava

10. Univoque

11. Les ursulines

12. L'ultrason

13. Unipare

14. L'UNITA

15. Le Royaume-Uni (United Kingdom)

JEU-QUESTIONNAIRE 46

1. Une vachette

2. Le veneur

3. Jules Verne

4. Vendetta

5. Le Vésuve

6. La veillée

7. Le vortex

8. Des viennoiseries

9. Francisco « Pancho » Villa

10. À Verdun

11. Un vide-pomme

12. Vétuste

13. Le port de Vancouver

14. Le vicomte

15. Le vice

JEU-QUESTIONNAIRE 47

1. Un wagon-lit
2. Le wapiti
3. Waterloo
4. West Point
5. Woofer
6. Les toilettes (water-closets)
7. (La république de) Weimar
8. Le whisky
9. Western
10. Lech Walesa
11. Le water-polo
12. Le wagnérisme
13. Le watergate
14. Whitehall
15. Woodstock

JEU-QUESTIONNAIRE 48

1. Le Xingu
2. La xénélasie
3. Le xylocope
4. Le xiang
5. Un xénophobe
6. Xérès (ou Jerez)
7. Iannis Xenakis
8. Le xylophone
9. Un xylographe
10. Xe

JEU-QUESTIONNAIRE 49

1. Le yen
2. Le yak
3. À Yalta
4. Le yin et le yang
5. Youpi
6. Le yé-yé
7. Le yoga
8. Yellowstone
9. La yaourtière
10. Yaoundé
11. Marguerite Yourcenar
12. Le yéti
13. Le yiddish
14. Le Yukon
15. Les yuppies

JEU-QUESTIONNAIRE 50

1. Le Zanzibar
2. Emiliano Zapata
3. La zéine
4. Sur le circuit de Zolder, en Belgique
5. Un zodiac
6. Zieuter
7. Le zigzag
8. Les zouaves
9. Le zébu
10. Un zinc
11. Le zombie
12. Zeus
13. Émile Zola
14. La zoolâtrie
15. La zibeline